O reizinho mandão

- Fundação Nacional do Livro Infantil e Juvenil
  – Altamente Recomendável – 1978.

- Escolhido para representar o Brasil na exposição
  "O Livro de História e as Crianças", em Atenas,
  Grécia – 1979.

- Participou da Ciranda do Livro da Fundação
  Roberto Marinho – Hoechst / Fundação Nacional
  do Livro Infantil e Juvenil.

- Lista de Honra do Prêmio Hans Christian Andersen
  do I.B.B.Y. – 1980.

Ruth Rocha

O reizinho mandão

Ilustrações
Walter Ono

12ª impressão

SALAMANDRA

Texto © Ruth Rocha
Ilustrações © Walter Ono

Editora Salamandra: 27ª edição, 2013.
Publicações anteriores: Editora Pioneira, 1ª edição, 1978; 2ª edição, 1980; 3ª edição, 1981; 4ª e 5ª edições, 1983. Editora Quinteto Editorial, 6ª edição, 1985; 7ª edição, 1985; 8ª edição, 1986; 9ª, 10ª e 11ª edições, 1986; 12ª edição, 1987; 13ª edição, 1988; 14ª edição, 1988, e reedição da 14ª edição, 1989; 15ª e 16ª edições, 1990; 17ª e 18ª edições, 1991; 19ª e 20ª edições, 1992; 21ª edição, 1993; 22ª e 23ª edições, 1994; Edição comemorativa dos 30 anos; 24ª e 25ª edições, 1998; 26ª edição, 2001.

COORDENAÇÃO EDITORIAL
Lenice Bueno da Silva

COORDENAÇÃO DA OBRA DE RUTH ROCHA
Mariana Rocha

ASSISTENTE EDITORIAL
Danilo Belchior

COORDENAÇÃO DE REVISÃO
Elaine Cristina del Nero

REVISÃO
Nair Hitomi Kayo

PROJETO GRÁFICO
Traço Design

IMPRESSÃO
EGB Editora Gráfica Bernardi Ltda.

LOTE
278428

Dados Internacionais de Catalogação na Publicação (CIP)
(Câmara Brasileira do Livro, SP, Brasil)

Rocha, Ruth
    O reizinho mandão / Ruth Rocha. — 27. ed. —
São Paulo : Salamandra, 2013. — (Série O reizinho
mandão)

    ISBN 978-85-16-08923-8

    1. Literatura infantojuvenil
I. Título. II. Série.

13-04547   CDD-028.5

Índices para catálogo sistemático:
1. Literatura infantil 028.5
2. Literatura infantojuvenil 028.5

Editora Moderna Ltda.
Rua Padre Adelino, 758 - Belenzinho - São Paulo - SP - Cep: 03303-904
Vendas e Atendimento: Tel.: (11) 2790-1300
www.salamandra.com.br
Impresso no Brasil / 2019

Quando Deus enganar gente,
Passarinho não voar...
A viola não tocar,
Quando o atrás for na frente,
No dia que o mar secar,
Quando prego for martelo,
Quando cobra usar chinelo,
Cantador vai se calar...

Eu vou contar pra vocês uma história
que o meu avô sempre contava.

Ele dizia que essa história aconteceu
há muitos e muitos anos,
num lugar muito longe daqui.

Nesse lugar tinha um rei,
daqueles que têm nas histórias.
Da barba branca batendo no peito,
da capa vermelha batendo no pé.

Como esse rei
era rei de história,
era um rei muito bonzinho,
muito justo...
E tudo o que ele fazia
era pro bem do povo.

Vai que esse rei morreu,
porque era muito velhinho,
e o príncipe, filho do rei,
virou rei daquele lugar.

O príncipe era um sujeitinho muito mal-educado, mimado, destes que as mães deles fazem todas as vontades, e eles ficam pensando que são os donos do mundo.

Eu tenho uma porção de amigos assim.
Querem mandar nas brincadeiras...
Querem que a gente faça tudo o que eles gostam...

Quando a gente quer brincar
de outra coisa, ficam logo zangados,
Vão logo dizendo:
"Não brinco mais!".

E quando as mães deles vêm ver o que aconteceu,
se atiram no chão e ficam roxinhos, esperneiam e tudo.

Então as mães deles ficam achando que a gente está
maltratando o filhinho delas.

Então, como eu estava contando, o tal do príncipe
ficou sendo o rei daquele país.

Precisa ver que reizinho chato que ele ficou!
Mandão, teimoso, implicante, xereta!

Ele era tão xereta, tão mandão, que queria mandar
em tudo o que acontecia no reino.

Quando eu digo tudo, era tudo mesmo!

A diversão do reizinho era fazer leis e mais leis.
E as leis que ele fazia eram as mais absurdas do mundo.

Olhem só esta lei:
"Fica terminantemente proibido cortar a unha do dedão do pé direito em noite de lua cheia!".

Agora, por que é que o reizinho queria mandar no dedão das pessoas, isso ninguém jamais vai saber.

Outra lei que ele fez:
"É proibido dormir de gorro na primeira quarta-feira do mês".

Agora, por que é que ele inventou essas tolices, isso ninguém sabia.

Eu tenho a impressão de que era mesmo mania de mandar em tudo.

Os conselheiros do rei ficavam desesperados,
tentavam dar conselhos a ele, que afinal
é pra isso que os conselheiros existem.

Eles explicavam que um rei tem de fazer leis
importantes, para tornar o povo mais feliz.

Mas o reizinho mandão não queria saber de nada.
Era só um conselheiro qualquer abrir a boca
para dar conselho, e ele ficava vermelhinho de raiva,
batia o pé no chão e gritava de maus modos:
— Cala a boca! Eu é que sou o rei. Eu é que mando!

Podia ser ministro, embaixador, professor.
E tantas vezes ele mandava, que o papagaio dele
acabou aprendendo a dizer "Cala a boca" também.

Tinha horas que era até engraçado.
O reizinho gritava "Cala a boca" de cá,
e o papagaio gritava "Cala a boca" de lá.

As pessoas, então, foram ficando
cada vez mais quietas,
cada vez mais caladas.

É que todo mundo tinha medo
de levar pito do rei.

E, de tanto ficarem caladas,
as pessoas foram esquecendo
como é que se falava.

Até que chegou um dia
em que o reizinho percebeu
que ninguém mais no reino sabia falar.
Ninguém!

No começo até que ele gostou,
porque podia falar durante horas e horas
e ninguém interrompia.

Só o papagaio é que de vez em quando
se enchia da falação e gritava:

— Cala a boca! Cala a boca!

O reizinho nem ligava
e continuava falando, falando...

Mas tudo o que a gente faz sozinho
acaba cansando.

E o reizinho começou a enjoar
de tanto falar sozinho.

E tentava convencer as pessoas
a conversarem com ele.

Vinha assim, como quem não quer nada,
e puxava conversa, perguntava uma coisa e outra.

Mas as pessoas não respondiam nada!

Ele aí foi ficando louco da vida,
gritava com as pessoas, xingava,
chamava os guardas para prender todo mundo.

Mas ninguém dizia nada.

Não é que as pessoas não quisessem falar.

Elas não sabiam mais falar, mesmo!

Nem os conselheiros podiam dar o menor conselho.

Eles não sabiam mais como!...

E o reizinho foi percebendo, devagar,
o que ele tinha feito com seu povo.

Aí, deu nele uma coisa no coração,
uma tristeza, uma dor na consciência...

Então ele resolveu dar um jeito na situação,
descobrir uma forma de consertar
o estrago que tinha feito.

Resolveu visitar o reino vizinho, onde
— ele tinha ouvido falar, antes que
todo mundo calasse a boca — havia
um grande sábio, capaz de resolver
problemas do arco-da-velha.

E quem foi que o reizinho escolheu para ir com ele?

Pois foi o papagaio, que não parava de gritar
"Cala a boca", mas que pelo menos
era uma companhia.

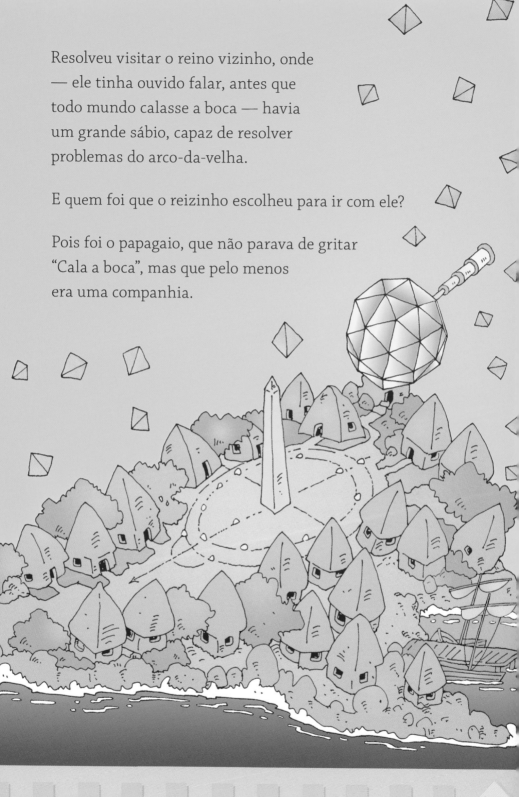

O reizinho botou o papagaio no ombro,
deu uma última olhada no castelo,
e saiu para a estrada, em busca do sábio.

O reino do reizinho era meio grande,
por isso ele demorou um pouco a chegar.

E teve de atravessar o reino todinho,
naquele silêncio de apertar o coração.

Por isso, quando ele atravessou a fronteira
e entrou no reino vizinho, até levou um susto!

Era um tal de gente cantando,
dançando, conversando...

Tinha criança brincando de roda,
tinha menino gritando na rua,
tinha até um velho parece que fazendo discurso.
E todo mundo vinha conversar com o reizinho
e perguntar o que é que ele estava fazendo ali.
E ele gostava e ia conversando muito direitinho,
sem mandar ninguém calar a boca, nem nada!

Até que ele achou o lugar onde tinha o tal sábio.

Era um velho miudinho,
que falava pelos cotovelos.
Se fosse antes de ter acontecido
toda esta história, aposto que o reizinho
ia logo mandar que ele calasse a boca.

Mas agora o reizinho estava muito diferente!

Até pediu desculpas por estar incomodando...

E quando o sábio interrompia o rei,
ele nem ligava, ficava dando umas risadinhas,
pra agradar o velho.

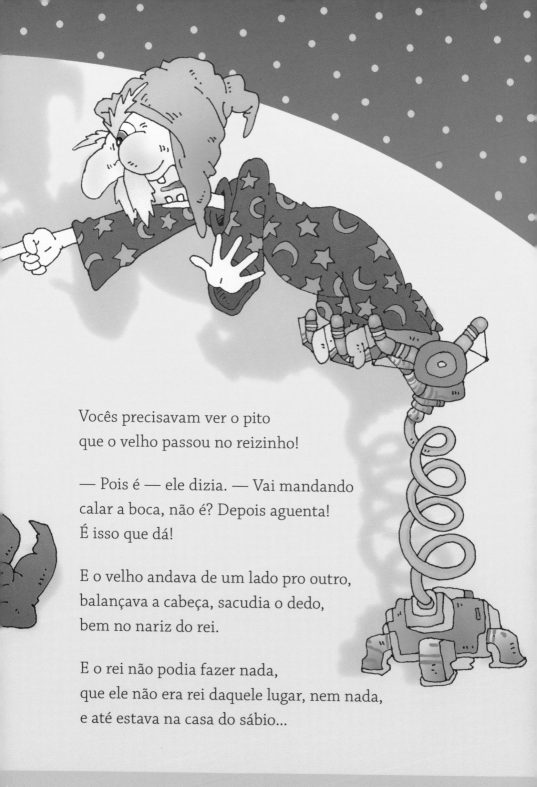

Vocês precisavam ver o pito
que o velho passou no reizinho!

— Pois é — ele dizia. — Vai mandando
calar a boca, não é? Depois aguenta!
É isso que dá!

E o velho andava de um lado pro outro,
balançava a cabeça, sacudia o dedo,
bem no nariz do rei.

E o rei não podia fazer nada,
que ele não era rei daquele lugar, nem nada,
e até estava na casa do sábio...

De repente, o velho sossegou,
sentou junto do reizinho e disse:

— Olha aqui, mocinho. Esse negócio de ser rei
não é assim, não! Não é só ir mandando pra cá,
ir mandando pra lá. Tem que ter juízo, sabedoria.
As coisas que um rei faz fazem acontecer
outras coisas.
Veja só o seu caso: mandou que mandou!
Inventou uma porção de leis bobocas.
Mandou todo mundo calar a boca, calar a boca,
calar a boca! Decerto, com medo de que todo mundo
dissesse que você estava fazendo bobagens.
Pois todo mundo calou!
Não era isso o que você queria?

O reizinho baixou a cabeça desapontado...

— E não adianta emburrar, não! — continuou
o velho. — Agora você tem que dar um jeito
nessa situação.

— É isso mesmo que eu quero — falou o reizinho. —
O senhor me diga o que eu devo fazer, que eu faço!

— Pois muito bem! — falou o velho. — O que você
tem que fazer é sair pelo seu reino batendo de porta
em porta. Se conseguir encontrar uma criança, uma só,
que ainda saiba falar, ela vai dizer a você o que você
precisa ouvir. E nesse dia seu reino vai ficar livre
dessa maldição.

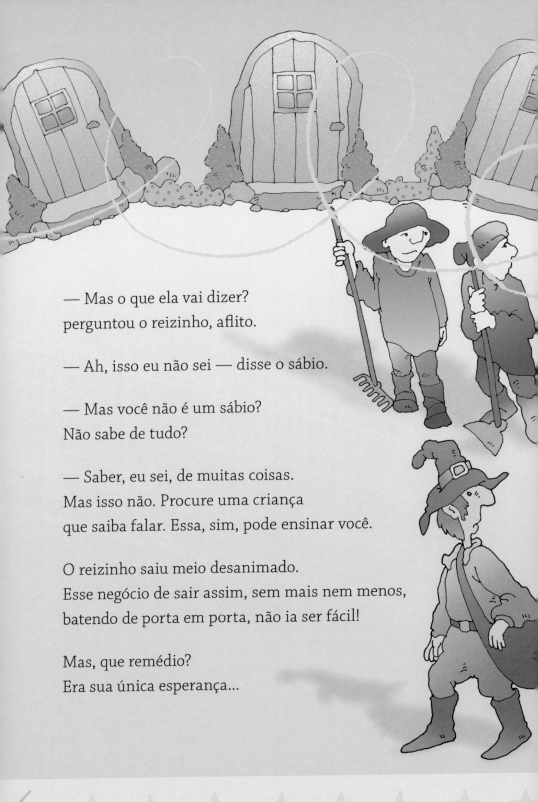

— Mas o que ela vai dizer?
perguntou o reizinho, aflito.

— Ah, isso eu não sei — disse o sábio.

— Mas você não é um sábio?
Não sabe de tudo?

— Saber, eu sei, de muitas coisas.
Mas isso não. Procure uma criança
que saiba falar. Essa, sim, pode ensinar você.

O reizinho saiu meio desanimado.
Esse negócio de sair assim, sem mais nem menos,
batendo de porta em porta, não ia ser fácil!

Mas, que remédio?
Era sua única esperança...

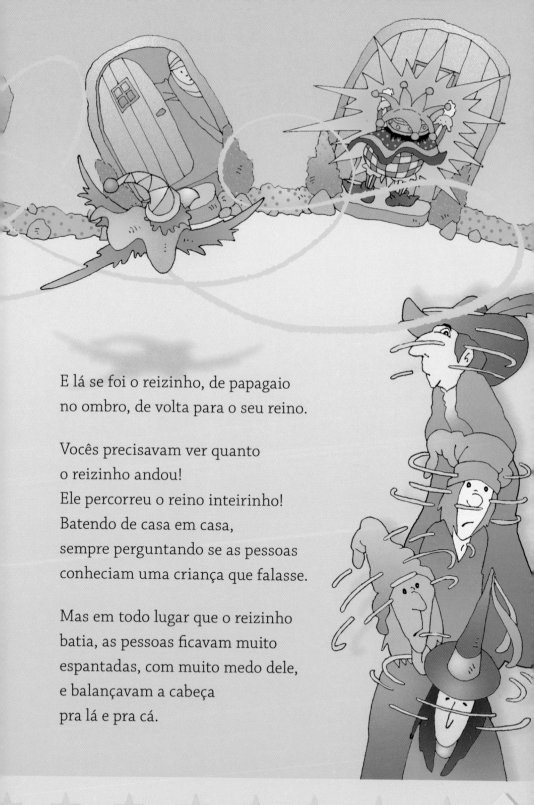

E lá se foi o reizinho, de papagaio
no ombro, de volta para o seu reino.

Vocês precisavam ver quanto
o reizinho andou!
Ele percorreu o reino inteirinho!
Batendo de casa em casa,
sempre perguntando se as pessoas
conheciam uma criança que falasse.

Mas em todo lugar que o reizinho
batia, as pessoas ficavam muito
espantadas, com muito medo dele,
e balançavam a cabeça
pra lá e pra cá.

Ninguém conhecia a tal criança!

E o silêncio era cada vez maior.

Todo mundo quieto, esperando
que alguma coisa acontecesse...

Até que um dia...

História é bom por causa disso!

Tem sempre uma hora em que
quem está contando a história diz:
"Até que um dia...".

Pois até que um dia...
o reizinho chegou perto de uma casa
e reparou que, do lado de dentro,
estavam fechando as janelas.

Ele aí desconfiou...

Bateu na porta, bateu, bateu.

E ninguém atendia!

Mas o reizinho percebeu
que tinha gente em casa.
E bateu mais e mais.

E começou a gritar:

— Não adianta fingirem que não tem ninguém.
Eu não saio daqui se não abrirem!

Aí a porta da frente foi abrindo,
devagarinho, e apareceu uma velha.

O reizinho fez a mesma pergunta
que ele fazia em todo lugar:

— Por favor, por favor, minha senhora,
nesta casa não existe uma criança
que ainda saiba falar?

A velha sacudiu a cabeça, assustadíssima,
fazendo sinais para o reizinho ir embora.

E olhava para dentro, amedrontada,
como se estivesse escondendo alguma coisa.

O reizinho ficou desconfiadíssimo
com a atitude da velha.

Então ele empurrou a porta e foi entrando,
porque, como eu contei, ele era muito mal-educado
e ia entrando na casa dos outros mesmo sem convite.

Lá no fundo, meio no escuro,
tinha uma menina: magrinha,
de trança comprida e
de avental xadrez.

Aí o reizinho foi indo na direção da menina,
parou perto dela e perguntou
com uma vozinha toda macia:

— Então, linda menina!
Não vai me dizer alguma coisa?

A menininha, nada!

— Como é, minha flor? Diga alguma coisa
para o seu rei ouvir! Anda!

A menininha, nada!

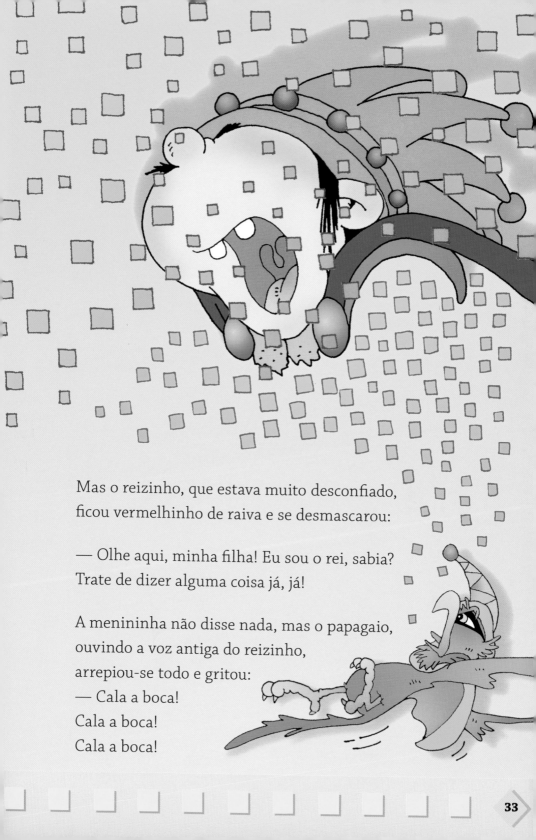

Mas o reizinho, que estava muito desconfiado, ficou vermelhinho de raiva e se desmascarou:

— Olhe aqui, minha filha! Eu sou o rei, sabia? Trate de dizer alguma coisa já, já!

A menininha não disse nada, mas o papagaio, ouvindo a voz antiga do reizinho, arrepiou-se todo e gritou:
— Cala a boca!
Cala a boca!
Cala a boca!

Quando o papagaio disse isso,
precisava ver a cara da menininha.
Ela ficou vermelhinha também,
arregalou uns olhos muito brilhantes
e gritou, com toda a força:

— Cala a boca já morreu! Quem manda
na minha boca sou eu!

No mesmo instante ouviu-se um estalo,
como se fosse um trovão,
e começou um barulho estranho,
que há muito tempo ninguém escutava.

Eram vozes e mais vozes,
que vinham de todos os lados,
de perto e de longe.

Fortes e fracas, de homens, de mulheres e de crianças.

Cantando, falando, gritando e rindo!

Eram canções de roda, de amor, de brincadeira...
E música de banda, de fanfarras e de orquestras!

O reizinho foi ficando assustado, amedrontado,
perturbado com todo aquele barulho,
com toda aquela alegria.

Tapou os ouvidos com as mãos, mas não adiantou.
O barulhão foi deixando o reizinho apavorado,
até que ele não aguentou mais
e saiu correndo pela estrada.

O fim desta história meu avô não sabia.

Uns contam que o reizinho ficou com tanta raiva,
com todo mundo dizendo tudo o que pensava,
que fugiu pra longe e nunca mais voltou.

Outros dizem que ele desistiu de ser rei
e que deixou o lugar pro irmão dele.

E há quem diga que quando o encanto se desfez
o reizinho virou sapo e anda por aí pulando,
coaxando e esperando que alguma princesa
dê um beijo nele e ele vire rei de novo.

Por isso, se você é uma princesa, vê lá, hein!
Não vá beijar nenhum sapo por aí...
Porque os reizinhos mandões
podem aparecer em qualquer lugar!

Ruth Rocha

Na minha infância, a história sempre esteve presente. Contos de fadas, *As mil e uma noites*, contos folclóricos... Lidos e contados por minha mãe, meu pai e, especialmente, meu avô Ioiô.

Meu avô conhecia e contava todas as histórias que existiam, mas sempre ambientadas na Bahia, de onde a família viera. Os personagens falavam de lugares com nomes engraçados, como Caixaprego e Ladeira do Escorrega. E as histórias sempre acabavam em festas de casamento, cheias de doces gostosos, como papos de anjo, amor aos pedaços, alfenins...

Por isso eu digo que a história entrou na minha vida pelo caminho mais efetivo: o caminho afetivo.

Hoje sou eu que conto histórias. Para todas as crianças: as que gostam de contos clássicos, e também aquelas, como minha filha, que gostava de histórias do cinzeiro, da mesa, da lua. Foi a partir de uma pergunta feita por ela que eu escrevi *Romeu e Julieta*, meu primeiro conto publicado na revista *Recreio*. E desde então não parei mais. Deixei que a profissão de escritora me escolhesse, e fui inventando essa profissão.

Agora, com mais de 40 anos de carreira, tenho a felicidade de ver toda a minha obra reunida na *Biblioteca Ruth Rocha*, publicada pela Editora Salamandra.

Nasci mineiro. Vim para São Paulo menino. Adolescente, descobri o rock e a bossa nova. Na Faculdade de Arquitetura, vivíamos o final do Modernismo, a contracultura, a literatura latino-americana, a comunicação de massa e as passeatas contra a ditadura. Foi um período de grande mudança cultural. No desenho, a grande virada veio com a *pop-art*, o filme *Submarino amarelo* (desenhos de Heinz Edelmann) e o estúdio Push Pin (Milton Glaser). Nesse espírito, na busca de novas verdades, conheci a Ruth. Não é pra ser agradecido e feliz?